KB195934

父子有别

부자유별, 아버지와 아들의 서로 다른 시선

父子有別

부자유별, 아버지와 아들의 서로 다른 시선

초판 1쇄 **인쇄** 2020년 7월 30일
초판 1쇄 **발행** 2020년 8월 3일

지은이 조철제·조위래
펴낸이 이재욱
펴낸곳 ㈜새로운사람들
디자인 오신환
마케팅 관리 김종림

등록일 1994년 10월 27일
등록번호 제2-1825호
주소 서울특별시 도봉구 덕릉로 54가길 25(창동 557-85, 우 01473)
전화 02-2237-3301
팩스 02-2237-3389
이메일 ssbooks@chol.com
홈페이지 http://www.ssbooks.biz

ISBN 978-89-8120-593-5(03810)

*책값은 뒤표지에 씌어 있습니다.

父子有別

부자유별, 아버지와 아들의 서로 다른 시선

조철제·조위래 지음

새로운사람들

아들이 그린 아버지

아버지가 그린 아들

프롤로그

어느 날 갑자기
시가 쓰고 싶어질 때가 있었다.
어머니가 돌아 가셨을 때,
회사일이 뜻대로 되지 않았을 때,
인생이 참 허망하다는 생각이 들었을 때.
힘들수록 더 열심히 詩를 쓰던 고교시절 같은 느낌.

코로나로 인해 아무 것도 할 수 없는 시기가 왔다.
아무도 예상하지 못했던.
일본유학 예정이던 아이의 입학이 연기 되었다.
아이도 목표하던 일이 갑자기 사라졌다.
아빠도 아이도 이 시기를 견뎌내고,
기념할 만한 새로운 자극이 필요했다.
그게 또 詩集이다.

처음엔 아빠와 아들의 이야기니
"부자유친"이라는 문구가 생각났다.
아들과 친한 편은 아니다만,
사이가 크게 안 좋을 것도 없다.
게다가 성향도 나와 비슷하지 않던가.
그런데, 막상 같이 詩를 쓰다 보니
나와 비슷하다 생각했던 아이가
나와는 또 참 많이 다르다는 걸 깨달았다.
생각도, 행동도, 글쓰기도.
그걸 '세대차이'라 해도 좋고 '성격차이'라 해도 좋다.

어쨌거나 제목을 바꿨다.
"父子有別"
같은 제목으로 함께 시를 쓰면서,
아들을 많이 이해하게 되었고, 나를 다시 돌아보게 되었다.
함께 글을 쓰는 것은 아빠와 아들 사이의 서먹함을 깨고,
대화를 자주 하게 해주며,
새로운 동질감을 갖게 해줄 수 있는
좋은 프로젝트인 것 같다.
(게다가 이렇게 써서 묶어낸 책은 영원히 남는다.)
세상의 모든 "아빠와 아들"들에게도 강추한다.

우리나라에서 책을 낸 사람이 약 200만 명,
지금까지 살았던 대한민국 국민의 1%쯤 된단다.
"책의 저자가 된다는 건 한국인의 1%가 되는 것"이라며
출간을 강요(?)해 주신 고교 선배님과
코로나로 인해 본의 아니게 일본에 가지 못해
6개월 동안 백수 생활을 하게 되면서
많은 시간을 내준 아들 덕분에
인생 버킷리스트 중 하나였던 책을 출간하게 되었다.
감사하고 또 고맙다.

조그만 바람이 있다면,
아빠와 아들의 "함께 글쓰기"가
이제 끝이 아니라 시작이었으면 좋겠다.

– 2020년 여름, 자줏빛 양지바른 동네에서
조 철 제

차례

II. 同病相遊

I. 父子有別

부자유별, 아버지와 아들 사이에는 다름이 있다

방황

중2 아들,
7호선 타고 한강을 넘나들다
새벽녘에야 기어 들어왔을 때

“살아야 할 이유를 모르겠어요.”
“이놈의 새끼, 이 미친 새끼.”

갑작스런 아내의 브라운 운동에
이리저리 부딪히고 끓어오르면
뜬밤 새운 부은 눈두덩
시계는 멈칫멈칫 가고
나는 짐짓 돌아누웠다.

불혹이란
유혹에 빠지지 않는다는 것인지
유혹에 빠지지 말라는 것인지
눈밭의 어지러운 발자국도 그 아비에 그 아들인데

나도 아직 모르겠다.
어디로 가야 할지
어디에 있어야 할지

방황

학교 나와 잠실대교 쪽으로
도화지 같은 하늘대신, 바닥을 봤다.

자신 몸보다 몇 배는 높은 담을
흰 색 고양이는 훌쩍 넘고

버스를 타고 지나가는 잠실대교 옆
양쪽으론 넓은 한강 위로 새들이 선을 새겼다.

잠실역 들어와 2호선 타는 길
책가방을 맨 사람들, 바쁘게 전화를 받으며 이동하는 사람들

좁은 공간 안, 숨 막히는 분위기
피곤해서였을까, 교대를 지나 어느새 사당이었다.

자전거

아파트 주차장에서
아이들을 다그쳤다
아빠를 믿고
힘차게 달리는 모습을 꿈꾸었다만
나는 혼내고 아이들은 울었다

오래도록 잡아주길 원하지만
결국에는 혼자 가야 하는 이 길

눈앞을 신경 쓰면
달리지 못한다는 걸
멀리 보지 않으면
중심이 무너진다는 걸

대지와 바람을 거슬러
불가능한 것을 가능하게 하기 위해
끊임없이 달려야만
쓰러지지 않는다는 진리

원운동이 직선운동으로 바뀌는 순간
아래로 디딜 때에야 앞으로 나아가는
아이들의 새로운 인생

자전거

삼성아파트 주차장
차들 사이 아버지랑 자전거를 연습했다.

뒤에서 날 잡아 주셨고,
방향 생각 않고 페달을 굴렸다.

어느 순간 놓았을 땐,
혼자 앞으로 나아갔다.

내 나이 20인 지금
아버지는 아직도 뒤에서 날 잡아 주신다.

그렇지만, 아직 놓지 않았으면,
페달을 굴릴 줄은 알지만
방향을 모르는 내 자전거
혼자 자전거를 타는 로망보단
놓게 된다면, 두려움이 더 크다

설거지

나이 서른에 벌써 잔치가 끝나고
마흔에는 설거지도 끝났다는데
결혼 20년, 내 설거지 횟수는
다 합쳐도 한 손에 꼽을 정도

아빠 닮은 아들의 식당 알바
돈 버는 만도 기특한데
엄마 돕겠다고
집에서도 걷어붙이고
선뜻 설거지에 나선다.

게으른 아빠는
설거지도 안 하고
육아도 제대로 안 했어도
아이는 잘 자랐구나.
설거지도 잘하는 아이는
나보다는 나은 인생이겠구나.

설거지

나이 20, 일을 하며,
누가 먹은 지도 모른 음식물 치우고
다시 헹구고,

손이 쭈글쭈글할 때까지
물에 손 넣고 닦고
다시 헹구고,

한 30분 만해도 목 아프고
좀 많이 하면 허리가 저려온다.

우리 집에 있는 어머니
내가 나오고 20년을 하셨겠지.

하루 몇 시간, 그 잠깐
그 쉬운 일이 힘들다고 퇴근 후에 하는 하소연
곧 50 우리 어머니는
어떤 생각을 하셨을까

歸家

열차가 역에 들어설 때쯤이면
항상 심호흡을 다시 한다.
바다 냄새
도착을 알리는 이 도시의 통과의례

그해 여름,
세 번째 기차에 올랐을 때,
마지막 인사도 없이 그렇게 떠났다.
아팠던 기억밖에는 없는 어머니

大丈夫出家生不還이랬지
매일 집을 나서고
갈 곳 없어 기어 들어오던 시절
늦은 귀가에도 결코 찾는 법이 없던 그녀

그녀가 떠난 후 처음 지나는 골목
매일 떠나고 매일 돌아갔지만
다시는 돌아갈 수 없는
그 시절의 우리 집

귀가

여행을 마치고 돌아오는 차 안,
항상 하늘 보이는 창에 머리를 기댔다.

좌우 흔들리는 시트 위에 앉아,
이어폰을 끼고 있어도 깊숙이 들렸던 라디오 소리.

여행이 끝나간다는 것이 실감됐고,
일상으로 돌아가고 있는 게 느껴졌다.

편안했던 그 시간,
아쉬움과 일상에 설렘이 교차하는 적절한 조화

스무 살인 지금 나의 일상은,
기다려지고 설레어 오지 않아 머리가 큰 지금은

여행을 떠나지 못한다, 더 이상.

우산

아이에게 부모는 우산
부모가 막아주는
겨우 그만큼의 공간
그 속에서 젖지 않을 수는 있겠다만
비바람조차 느껴볼 수 있을까

어차피
인생이란 스스로 버텨내는 것
우산 잡은 손으로
나를 지켜내는 비장함

모두들 그렇게 흘러흘러
바람에 흔들거리듯 흔들리며
불빛에 번들거리듯 번들리며
빗속을 뚫고 가야 하는 사람들

우산을 쓰고서는
하늘을 볼 수 없는 법
맨얼굴 맨손으로
길을 나서라.

우산 챙겨가

내 자신이 후회됐던 날
깊게 새겨들었어야 했던 너의 말
대충 흘려들었던 너의 말
이제야 스며든 빗물이 느껴진다.
이제는 소용이 없는 너의 말
그리고 또다시 후회되는 너의 말

혼자

결혼이란 걸 하지 말았어야 했나 봐
침대에 누운 채 아내에게 말했었다
때때로 모든 게 귀찮아질 때
혼자 살았으면 어땠을까
결혼을 하지 않았다면
아이들을 낳지 않았다면

더 많은 사람을 만나고
더 많은 사랑을 하고
더 많은 후회를 하고
더 많이 자유로웠을까

혼자 가는 길인데
혼자인 걸 못 견뎌
다른 혼자를 찾는 사람들

혼자 사는 인생
혼자 마시는 술
혼자 버려두는 꿈

아내는 호랑이 사주라
깊은 산을 홀로 지킨다.
나는 사람 人
언제나 네가 그립다.

혼자

친구를 만나 이야기
동생이랑 밥 먹기

간단한 산책부터
무거운 고민 꺼내기까지

항상 곁에 있는 사람들
한없이 나약한 혼자

선거

그 사람 별명이
"돈진재"
우르르 몰려가 선물포장 해주고
돈 봉투에 술값도 거나하게 챙겼었지
덕분에 생전처음 제주도도 가보고

어린 시절 잠결에도 기억하는
"옆집에는 얼마씩 줬다던데, 우리는 받았능교?"
사과박스, 차떼기당도 불과 10여 년

선건지 안 선건지
유권자가 서야 나라가 선다지만
누가 누굴 뽑는다는 게 쉬운 일은 아니겠다만
시대가 시대인데,
이런 바보도 그런 바보는 이제 그만
안 뽑는다더라.

참여하는 사람이 주인이라 했으니
성인이 된 아들과 처음 간 투표에서는
탈북민도 의원이 되고
시인의 아내도 당선되는 시대이니
이 정도면 꽤 괜찮은 건가

선거

아침 8시쯤 부스스한 머리
대충 겉옷 하나 걸치고

바로 앞 동사무소 들어가
생각해둔 네모 칸에 도장 찍기

한 장 가치가 4,600만 원이라는데
보수고 진보고, 사실 난 어렵다

사회에 나가지 않아서 그런 건가
아직 그냥 덜 성장한 애인 건가

왠지 모를 부끄러움에
또래 애들 하는 흔한 인증이고 사진이고 지나쳤다.

다음 선거 때는, 진짜 성인 되면
투표할 수 있을 때가 오길.

잔소리

내 말을 듣지 않는 너에게
내 존재를 스스로 확인하는 순간
아무 말이라도 해야만
살 것 같은 이 기분

큰소리보다는 견딜 만하니까
군소리보다는 정겨우니까
큰소리 칠 일 없이 잔소리라면
차라리 감사한 일인 듯

나이가 들수록 점점 많아지는 건
자신이 자신 없어서, 스스로가 부끄러워서.

세상 한 귀퉁이도 바꾸지는 못하고
내가 만족하려고,
내가 다짐하려고,

애꿎게 아이들만
오늘도 볶아대며
하는 이야기

잔소리

엄마도 이런 말하기 싫어
“하지 마세요”

너도 알겠지만...
“네 알아요”

맨날 죄송하다고만 하지 넌
“뭐라 해야 할까요”

속으로만 담아냈던
나만의 소리

아빠

아이는 태어났고 아빠는 어렸다.
세상 모든 일은 노력이 필요했지만
그럴 마음의 준비조차 없었다.

아이는 자라고 아빠는 바빴다.
육아는 힘들고 아내는 지쳤지만
바깥일을 핑계로 언제나 늦었다.

아이는 불량했고 아빠는 난폭했다.
질풍노도의 마음은 널뛰기가 수백 번
다그치기만 하며, 윽박질렀다.

마음만은 함께라
스스로 위안하지만
언제나 맴돌기만 했던 사람
마음만 있는 사람

아이가 떠나면 아빠는 늙을 것이다.
자신만의 길을 시작하는 아이,
우리의 시간은 지나고,
깨달음 없었던 찰나는 사라질 것이다.

아빠

감사합니다, 사랑합니다
좋은 말들은 목구멍 안에 막혀 나오지 않고

꼰대 같다 융통성 없다
계속 중얼거리게 되었던 혼잣말,

세대 차이, 다른 주변 환경 안에
매일 아침을 같이 보내기

받은 것들은 당연하다고 생각하고,
항상 더 달라고만 요구하는 것 같은 나

철없고 못난 아들 같은데,
감사합니다, 사랑합니다.

아들

반골기질
잘난 척
변덕 심한

부모 말은 經읽기
남의 말엔 홀라당
잘 되면 좋고
안 되면 말고
열심히 일할 때보다
잘 놀 때 더 뿌듯

끈기는 없는데
포기는 또 못해
하면 된다보다는
되면 한다, 이런 式
투자보단 투기
노력보단 한방

잘난 아들 흉본다며
쓰고 보니 내 얘기들
아들 모습 못 견디는 건,
나처럼 살지 않기를
바라는 마음
부모의 마음

아들

같은 부서 아들은 외고에 전교 1등
엄친 딸은 결혼기념일 선물에 집안일까지 척척

무거운 책가방에, 단정한 교복 마이 학생
책상에 딱 붙어 앉아 교과서 위주로 하는 공부

한국 입시부터 일본 유학 공부까지,
뒷목까지 내려온 머리에, 양쪽에 낀 피어싱

자신은 있는데, 좋은 아들
할 수 있는데, 좋은 아들

거짓말

거짓말 하지 말라고
아이들을 혼내려다
혼란에 빠진다.

말을 해야 거짓말인데,
말을 안 해도 거짓말이란다.

말을 해야 말이지
생각만 하면 그게 말이냐
말 안 하면 거짓말도 성립 불가,
말 안 했는데 거짓말도 아니지.

아내는 혼꾸녕을 내라고 닦달하지만,
나는 이미 딜레마에 빠졌다.

말을 안 해도 거짓말이더냐
침묵하는 자는 모두 거짓말쟁이더냐

거참 나
거짓 인생 살지 말자고
눈물 보이지 말자고

거짓말

하면 안 되는 걸 알면서
이번이 정말 마지막

언젠가 걸릴 걸 알면서
한 번만 더 마지막

엄마 아빠 속인 거짓말이 몇 개인지,
셀 수는 있는지

죄송합니다. 앞으로 절대 안 할게요.
이것도 거짓말

가족

각자 다르게 태어났어도
이렇게 비슷해지는 사람들
어릴 적 나, 어릴 적 형, 어릴 적 동생

과거가 비슷한 사람들은
현재도 비슷한 사람들
미래도 비슷할 사람들

같은 집
같은 밥
같은 생활
같은 이야기

점점 비슷해지다
결국 하나로 기억되어질
우리들

가족

마치 침대에 누워 잠들기 전
에어컨과 이불의 조화

지금의 스물의 나한테 지나친 관심
통제와 억제는 두꺼운 이불만큼 답답하고

혼자 있는 시간이 너무 많고,
혼자 생각할 게 많아지는 방치는,
추운 바람만큼 춥고

에어컨 바람과 이불의 조화
가족 관계 같은 거 아닐까?

야구

롯데를 사랑한다고
롯데를 사랑한다
손아섭을 좋아한다고
손아섭을 좋아한다

아이는 아빠의 선택에
강요당한다
영문도 모른 채 공을 던졌다.

공 던질 때만 허락되는
왼손잡이
오른손을 강요했던
왼손잡이 아빠

아빠의 왼손과
아빠의 머리와
아빠의 기호와
아빠의 생활을
고스란히 물려받는 아들

고맙지만은 않은
삶의 대물림

야구

아파트 앞에서 아빠랑 함께 했던 야구
내가 좋아해서 같이 가줬던 야구장
왼손잡이였던 난 강요받지 않았습니다

아빠와 같은 왼손잡이가 좋았고,
아빠가 좋아하니 나도 응원했고,
아빠가 행복하니 야구가 좋아서,
저도 행복했습니다.

동행

20년도 더 됐을까, 소금강 계곡 좁은 길 위에서
"가는 길을 함께 가겠다." 고백했었다.
청혼도 제대로 못 받은 거라고 넌 말했지만

좁은 숲길 가는 길
네 마음에 가는 길
둘이 함께 가는 길

그 순간이 오기 전까지
각자의 길을 걸어왔을 테다
제 몫의 짐을 지고, 힘겨운 두 발 디디며

하지만, 이제 우리
서태지와 만나서 BTS까지 함께한 시간들
세상에서 나를 아는 단 한 사람
가장 많은 밤과 새벽을 함께 보낸 그대

해질녘 강변에는 바람이 일고
맞잡은 가는 손 위로

떠오르는
아련한 시간,
시간들

동행

같이 걷는 사람이 있었으면
함께 하는 사람이 있었으면
페이스메이커처럼
나와 같은 사람이 있었으면

Ⅱ. 同病相遊

동병상유, 같은 병을 가진 사람들끼리 서로 어울려 노닐다

벚꽃 | 40

벚꽃 | 41

안경 | 42

안경 | 43

移徙 / 異事 | 44

이사 | 45

터널 | 46

터널 | 47

격리 | 48

격리 | 49

지하철 | 50

지하철 | 51

커피 | 52

커피 | 53

頭痛 | 54

두통 | 55

사진 | 56

사진 | 57

책 | 58

책 | 59

핸드폰 | 60

스마트폰 | 61

코로나 | 62

코로나 | 63

마스크 | 64

마스크 | 65

신체검사 | 66

신체검사 | 67

벚꽃

어린 시절, 보문 호숫가에 피었다가
동복유격장, 하강 횡단 활차 옆을 흩날리더니
오늘, 아파트 앞 길가 바닥을 뒹굴고 있다.

한때는 아름다웠으나
이제는 덧없는 하트 다섯 장

반백 나이에도
분명한 것 하나 없는데,
가짜 인생의 화려한 이 봄날
살아서 헛것이라는 비명에도
쓸쓸히 저무는 발자국

일본 가는 아들의 뒷모습에도
비처럼 쏟아지는
금방 피고 금방 지는
사쿠라, 사쿠라

벚꽃

아름답고 이상적인 벚꽃
봄의 분위기에 벚꽃
나무 위 걸린 벚꽃만으론 부족하다

바람 타고 날아간 벚꽃
비에 젖어 중심을 잃은 벚꽃
나무 아래 뿌려진 벚꽃들이 있기에

우리가 보는 무릉도원 안
바닥에 떨어진 이 벚꽃들이
액자 테두리를 돌리듯

다 함께 화려한 봄날의 벚꽃 풍경을 그린다
봄날의 기운을 가진 아름다운 꽃들이니
소외된 것들 없이 다 함께 만들어가는 봄

안경

누구나 자신의 눈으로
세상을 볼 자격이 있었겠다만

우리 집 네 식구,
하나같이 안경잽이
철들고 한 번도
두 눈 직접 세상을 본 적 없는

눈앞을 가리는 장막
보이는 대로 믿지 말고
그 너머를 보라는 가르침
현대를 살아가는 이들을 위한
驚句

안경

다리가 부러졌을 때
소중함을 느꼈다

흐릿했던 시야를
저 먼 산까지 보게 해주었고

눈 뜨자마자 가장 먼저
너를 찾아 왔는데

물에 담그고 함부로 던져지며
견뎌왔던 다리가 툭 부러졌을 때

일상이 사라졌을 때
그 소중함을 느꼈다

移徙 / 異事

인생을 바꾸는 세 가지 방법
그 중 으뜸은 사는 곳을 바꾸는 것일 터

무릇 호랑이가 출몰한다는 마을을 나고 떠나 다다른 곳,
城을 쌓는 말(馬)의 지혜인가
대장간 마을 수철리에서 태어난 아이
麻谷의 北쪽 마을, 평생에 큰집, 친구 있어 좋았고
純明皇后 裕陵 자리, 저 세상 따라갈 뻔
紫朱빛 양지 바른 동네에서는 벌써 삼세 번
가고픈 곳도, 갈 만한 곳도 이제는 없으려나

2 × 4 = 8이냐, 팔자소관
있을 곳인지, 아닌 곳인지
떠날 것을 생각하는 그 순간
마음은 떠났고, 그때는 늦었다

隨處作主해야 한다만,
어디서든
떠날 것을 꿈꾸는 者라면

이사

새로웠고, 두려웠다
차가운 한기가 발을 감았고
벽은 칙칙해 흉했다
창문 밖 울타리 너머 낯설었던 풍경

눈이 왔고, 꽃이 폈다
TV 앞에 액자를 걸었고
마루 끝 식물을 두었다
따뜻함 속 안에 내가 보였고

이사를 마쳤다.

터널

어둠과 빛을 잘라낸
모서리
이곳과 저곳을 가르는 境界
사람이 만든
효율이라는 이름의 괴물 따위

어둠은 희망을 말하고
어린 시절의 나는
지금 또 이렇게 지나간다

끝날 것 같지 않던 어둠은
순식간에 밝아지고
시선을 피하는 낯선 사람들은
애꿎은 눈동자만 부릅뜬다

그렇다.
어둠의 세월을 지날 때에야 비로소
다시 내가 나를 볼 수 있다.

터널

계속 밟으면 되는 것 같은데
곧 있으면 빛이 보일 것 같은데
보이지 않는 빛, 초조해 질 때
터널이 너무 길어, 자신이 없을 때

격리

더불어 사는 게 생명이라지만
때로는 혼자만의 시간이 필요해요
그동안 우린 너무 가까웠어요
시간도 여유도 비밀도 없이
서로가 서로에게 생채기만 내었죠
혀는 칼이 되고 눈빛은 송곳이 되어
여기저기 쿡쿡 찔러대며 피 흘렸죠

7일은 천지창조에 충분한 시간이듯
14일은 사라지기 적당한 시간이죠

퇴근길에 붉디붉은 장미꽃을 샀어요
나의 문틈에 거꾸로 매달아둘 거예요
머리로 피가 쏠리면
검붉은 꽃잎이 미이라처럼 말라갈 거예요

그동안 서로서로 상처 받고
또 그렇게 아물어 가겠죠.
우린 그동안 너무너무 가까워서
서로를 잘 몰랐어요

격리

학생의 신분 안에서
미성년자의 범주 안에서
길다면 길고 짧다면 짧은 나의 12년 안에서

처음 내 나이 또래 친구들을 만나보고
시간이 지나면서 내 사람도 생겼다
많은 사람들이 나의 시간을 스쳤고

내 주변은 영원할 것 같았고
내 사람은 남아 있는 듯했는데
모순이라 해야 하나
학생이 아닌, 미성년자가 아닌 성인인 지금

졸업 후 나온 사회에서는
각자의 갈 길이 있었고, 각자의 시간이 있는 듯했다
접점은 사라진 채 우리는 다른 방향으로 뻗어나간다

통하지 못하도록 막는다는 뜻의 단어 '격리'
각자의 성공을 위해 뛰는 이 길이
어쩌면 서로와 더 멀어지게 되는 길일 수도

지하철

처음 내 힘으로 돈 벌었던
첫 직장, 지하철, 신문팔이
지나보면 20년 홍보인생을
처음 겪었던 순간
만원의 지하철을
이만 원 벌려고 헤집던 시절

뉴스는 자극적이어야 잘 팔려
사회생활 수모쯤은 미리 알랴줌
수단이 목적이 되는 순간
삶은 고단해지는 법

도시가 발전할수록
지하의 시간은 많아지고
수모는 빈번해진다

갑작스레
지상으로 접어드는 구간,
차마 눈 못 뜨는 사람들.
어느 생에나 햇빛 드는 시기는
반드시 있을 것인가

지하철

시끄럽고 혼란스러운 아침 2호선
자리 앞 아주머니 떠들고
옆 등산 아저씨 다리 좀 벌려도

좋아하는 노래 잔뜩 선곡해
양 쪽 설탕 넣어두고
건너편 하늘색 바탕 줄 하나 그어진 그림 보면

지하철 안은 나만의 미술관이 되어
어느새 기분 좋은 하루를 만든다
평범한 일상 안, 확실하고 소소한 행복

커피

향기 있는 사람이고 싶다.
누구든 보고 싶어 하고 함께 하고픈
옆에 있으면 편안해지고 재미있는
은은하게 스며들어 여운으로 남는 사람

어디든 잘 어울리고 싶다.
어려운 자리에서는 서먹함을 씻어주고
외롭고 힘든 친구에겐 위로가 되고
매일매일 생각나고 또 그리운 사람

깨어 있는 사람이 되어야겠다.
커피 마신 후의 설레는 긴장감
명확한 의식과 다시 다지는 굳은 의지
삶의 의미와 활력을 일깨워주는

그런 사람

커피

햇빛이 드는 자리
별 아래 책과 커피를 두고
창틀로 하얀 구름
그 아래로 파란 호

노는 토요일 같은 편안함과
내일 다가오는 금요일의 안도감

頭痛

간밤 창문가를 두드리던 바람과
흩어지는 잎들이 남기고 간 핏자국과
마지못해
여기까지 끌려온 나의 하찮은 과거
갑자기 誘發되는 言語의 부족

생각의 편린
삶의 찌꺼기들이
진물처럼 고여 들어
쌓이는 아침

두통

생선 안에서 진주 찾기
모래사장 바늘 찾기가 아닌

방안에서 꿈꾸는 우주
무에서 유를 만든다는 창조

한없이 작은 나, 당혹스러움,
신비로움이 응축되어 있는 머리 안

사진

후회가 많은 자
기록에 열중하니
박제된 저 순간이
기억이라 믿는구나

남겨진 저 형상은 필시
실재가 아닐 것임이 분명한데
지금 순간에는
사실로 인식된다.

익숙해지면 무감각해지는
그 날의 아이들
젊고 어여쁘던 아내의 웃음
기록 속에서는 저토록 행복한 가족

뒤집어야 바로 보이고
작은 구멍으로 봐야 자세히 보인다는
사진의 원리

하지만, 때로는
흐릿해야 아름다울 수 있는
그 모든 순간들

사진

플레이리스트 안
음악을 바꿔 넣을 때

여행 후 사진첩을
정리하기 시작할 때

밀물과 썰물처럼
들어왔다 나가는

우리들의 기억 안에
잠시 머물고 떠나는

기억을 담고 싶어
찍어 보는 사진.

책

책 속에 길이 있다더만,
암만 들여다봐도 꿈길 뿐
하냥 졸리기만 하니,
책은 꿈을 가르치는 선생이긴 한 모양

난난난독증인가 봐요.
듬성듬성 살아온 인생처럼
빠뜨리고 지나간 무수한 글자들
그만큼 가벼워지는 몸과 혀

눈을 탓하지 말고,
말로 핑계 삼지 말고,
머리를 이유대지 말고,

책, 책, 책을 봅시다.

책

넓어지는 지식, 풍부해지는 상식
책을 읽으면 좋은 건 누구나 안다만,
읽지 않는 건 귀찮아서

웃어른께 예의, 지켜야 할 규칙
세상에 규율이 있는 건 누구나 알 거다
알면서 모르는 체하는 사람들

핸드폰

걷던 사람 걷지 못하게
먹던 사람 먹지 못하게
말하던 사람 말하지 못하게
생각하던 사람 생각하지 못하게

네모난 화면에 갇혀버린 인생

스마트폰

눈 뜨는 아침, 터치 두 번으로 확인
새 신발은 벗고, 왼손에 우산

식사시간부터 카페, 술자리까지
넓어지는 선택 폭과, 쉽게 얻는 정보들

늦은 밤 방안에서 펴는 세계지도
해외여행 브이로그, 실시간 세계뉴스

지하철, 버스 안 네모 칸만 쳐다보는 우리지만
중독도 걱정해야 하고, 책도 봐야 하는 걸 아는 우리지만

아침부터 밤까지, 내 생활 안 스마트폰
어찌 보면 인생의 일부가 될 스마트폰

코로나

전 세계 1000만 명, 미국 300만
콜센터, 물류센터, 대구 신천지

매일 아침부터 저녁
실시간 뉴스를 봐도
숫자로만 읽히는 목숨들

밥 먹다 기침하면
코로나 올 것 같다고,
집에만 있다 보니
확찐자가 된다고.

남의 얘기하듯 불편함을 불평할 때,
비극은 내 것이 아니라 여겨
우리는 또 안도한다.

"동북아 체인"이니, "글로벌 협업"이니
사람들 사이에 섬이란 없던 걸까

핵가족, 방콕족, 히키코모리.
이제는 혼자 사는 법을 배워야 할 때

오늘도 계속 되는
지구의 자정작용

코로나

누군가의 여행 계획
몇 달 간 준비했던 시험
평생 했던 일을 못 하게 되고
일상이 바뀌고, 환경이 변하게 되는 병

마스크

눈빛만 마주치는 우리는
하나같이 순종적이다.
백의의 민족은 백면갑의 민족이 되었다.
주변은 조용해졌고, 마음은 불안해졌다.

잔기침 소리에도
화들짝 놀란 눈총이
날아와 꽂힌다.

하지만, 생각해 보면
언제나 치열했던 사람들
거친 들판에 길을 내며 여기까지 왔다.

묵묵해 보이지만
항상 격렬했던 우리는
그게 뭐가 됐든 항상 이겨내는 중이었다.

暴政이든, 病魔든,
그 무엇이든…

예로부터
저항에 능한 사람들은
마스크에 익숙한 법이다.

마스크

답답한 속마음
입모양만 마스크 안에서

들리지 않는 진심
소리들만 도는 마스크 안에서

마스크를 낀 채 오가는 대화
진실 없이 거짓으로 된 마스크

신체검사

사람을 검사한다는 것은
도구로 본다는 것
누군가의 의도에
사람을 맞춘다는 것

나라를 위해, 조직을 위해
명분은 거창하다만
결국엔 씹다 버릴
껌 같은 소리

푸줏간 고기처럼
평생을 따라붙을
등급

신체검사

하기 싫다 미친 듯이
가기 싫다 미친 듯이
SNS에 올라오는 친구들의 신체검사

하기 싫다 가기 싫다
하는 내 친구들 물론 나도

같이 일하는 군필 형들 보면
이보다 부러울 수가 없다 정말

Ⅲ. 苦盡覺來

고진각래, 고생 끝에는 깨달음이 온다

군대

국가를 지킨다는 美名下에
군대를 언젠가는 다녀와야 하는 아들들
사람 구실하려면 그래야 한다지만
명색이 장교 출신인 아빠도 다시 가기는 싫은 곳

장장 3년의 시간,
교실이든 군대든 견디기 힘든 순간들
책임과 의무는 어른 되는 과정이라지만
무엇 때문에 이렇게 사는지 의문인 나날들

복이 있는 자는 부모를 잘 만난 자,
무릇 학교든 군대든 쉬이 해결하나니
신께서 우리를 특히 가엾게 여기시어
조금 더 젊은 고생을 사서 시키시는 걸까

군대

초등학교 졸업하고는 중학생이 되어 공부하기
고등학교 입학 후는 입시를 위해 공부하기
대학생 때도 해야 하는 질리는 이 공부가
군대를 가야 한다고 생각하니,
계속 하고 싶어진다.

학창시절

빨리 지나가길 바랐다
눈 감았다 일어나면
어른이고 싶었다
모든 게 의미가 없었다

밤낮없이 싸우는 약육강식 아이들 속에서
선배랍시고 이유 모를 몽둥이 맞으며
낮에는 햇빛을 피해 잠을 청하고
밤에는 감시를 피해 술을 마셨다

시키는 최소한의 일들을 하면서
시키지 않은 많은 일들에 재미를 붙였다

학생의 본분은 공부였으나
젊음의 본분은 방황이었다

시간이 흘러

의대 가고 싶던 친구는 의사가 되었고,
부모 말 잘 듣던 아이는 교수가 되었고,
아무것도 되고 싶은 없던 나는
아무것도 아닌 사람이 되었다

학창시절

어릴 때, 가족여행, 가파른 내리막
긴 터널에 좋아했다.
힘든 산을 오르느라 피곤에 지쳐버려,
눈시울이 붉어지기도 했다.

위치도 모르는 이 길을 또 올지
방금 스친 순간이 마지막이었는지
알지도 못했고, 생각해보지도 않았다.

잊지 못할 것만 같던 큰 웃음
침대 위에 화나고 분해 잠 못 들었던 날
한 순간에 훅 하고 지나친 나날들이
마치 어렸을 때, 가족여행처럼
감정 생각 사이 얽힌 추억까지 뭉쳐져
이젠 어렴풋이 풀어져 버렸다.

쨍쨍했던 햇빛, 멈추지 않을 것 같던 비
손 끝 스친 바람과, 우산 위 수북했던 눈
애매한 지금의 나이 20의 내 하늘은 지금

성인이 방금 된 내 하늘은
한없이 넓고 끝 보이지 않는 푸른 배경 위
구름 뭉텅이만 여기저기 흩어져 있다.

대학

시간을 낭비할 수 있는 것은
청춘의 특권
때는 바야흐로 봄이었고,
어떤 사치든 부려봄직한 시간이다.

작은 고민에도
인생을 걸었던 우리는
사소해서 아름다웠다.
보잘 것 없어 더 소중했다.

최루탄 냄새도 익숙해질 무렵이면
뜻 모를 명분도 중요했고,
어설픈 사랑도 가슴 아팠다.

아이의 입학에
더불어 부푸는 마음
난생처음
불타는 학구열,
그리운 캠퍼스

대학

어떻게 보면, 20년 동안의 노력
학창시절, 어린 나이, 돈, 시간

그 시간 노력이 힘들고 지쳤던 것 같은데
지나고 보면, 왜 더 못했는지, 왜 금방 지쳤는지

시간이 지나서 그런 건가
나이를 먹어서 머리가 큰 걸까

시험이며 성적이며 여태 쫓기며 살았는데
이젠 내가 원하는 것들은 쫓을 차례인데

평생을 줏대 없이 쫓겨만 와서 그런가
이젠 쫓기지 않으면 앞으로 뛰지를 못한다.

친구

친구가 배신했다며,
울며 집에 온 아이는
저녁 내도록
비분강개하고 있다

"친구 아이가"
학창시절 유행했던 영화
그 동네 사람들이 입에 달고 사는 말

"오래두고 사귄 벗"
좋을 때야 벗이고, 고마울 때 친구지
죽마고우, 관포지교
세뇌 당한 우리 인생
수컷들의 패거리 문화가
남겨 놓은 환상은 아닐까

멀가원 멀가근
가까울수록 서운하기 쉬운 사이
내가 감당할 만큼이 진짜 우정
내가 있고서야 친구라도 있는 것
우리는 딱 그 정도만

친구

행복한 기억
남기고 싶은 추억
다시 못 볼 것 같은 이쁜 것들
나중에 다시 꼭 봐야 할 것 같은 멋진 것들

다시 이 순간을
지금의 기분을 느끼기 위해 찍는 사진들

그 사진들을 모은 갤러리
내가 원했던 느낌의 갤러리인 건가

나의 사진들은
순간의 아쉬움과 후회들

즐거웠다 행복했다가 아닌
더 즐거울 걸, 더 행복할 걸

복잡한 인간관계
지쳐가는 나 자신

 틈

쉴 틈
없이 살던 때
매일 매일이 '술과 장미의 나날'

문 틈
사이 얼핏 보면
무럭무럭 자라는 잠든 아이들

빈 틈
없던 생활에 여유가 생긴 건
머릿속 깊숙한 곳에 틈이 생긴 후

손 틈
만한 상처에도 목숨을 잃는다는
내 눈으로는 차마 보지도 못한
지주막하 뇌출혈

머릿속 깊숙한 곳
어쩌다 생긴 실낱같은 틈이
가져다준 생활의 쉴 틈

아파야만 아프고
안 아프면 아픈 줄 모르던
회사원의 불운한 행복

틈

알바를 하면서 배운 게 많다
항상 쉬기만 했던 날들이 소중해지고

잠깐의 틈이 너무 감사하다
시간의 소중함을 알아가는 요즘

길

퇴근길 낯선 사람의
"도를 아십니까?" 물음에
엉뚱하게도
길을 생각했다, 내가 가고 있는 이 길

그 질문을 처음 들었던 대학시절,
애창곡은 언제나
"내가 선택한 길"
낮술 퍼마시고
골방에서 꽥꽥 질러대던 날들이
이런 건 아니었을 텐데

후회만 남는다는 가지 않은 길
지금 가는 길에도 후회는 산처럼 쌓이고

이제
제 갈 길을 묻는 아이에게
구속이 될 것 같아, 말해줄 수도 없고
방황만 하게 될까, 안 해줄 수도 없어

멀뚱멀뚱 두 눈만
보며 서 있다.

길

중학생 때쯤인가,
목적지를 갈 땐, 스마트폰 지도를 켰다.

고등학생 때는,
외워지는 길, 나만의 지름길도 찾았다.

요즘은 목적지를 보곤,
막연하게 여러 길로 걸어본다.

불 들어오지 않는 길도 걸어보고,
두 갈래 길 앞에 멍하니 서 있어도 본다.

무언가 이끌린다는 느낌에 움직이고,
지나온 길을 뒤돌아보는 여유도 생겼다.

시간이 주어졌다는 생각에,
조급해하지 않고 천천히

쫓기지 않는, 더 이상 어린애가 아닌
여러 방법을 찾을 능력이 되는 성인이니

별

가기 싫다던 대학
입시 공부를 해보니 의외로 잘 됐다.
천문학과를 가겠다 했다.
시인을 꿈꿨던 아이에게 잘 어울린다 여겼다.
별이 되고 싶었다. 빛나는 인생이고 싶었다.

군대생활도
생각과 달리 적성에 잘 맞았다.
여단장은 대령은 문제없다 했다.
별이 된다 해도 군대생활은 싫었다.
잡을 수 없다 할지라도, 마음속의 별을 향해 가리라.

직장생활도 꽤 잘했다.
윗분들의 신임 속에 많은 일들을 함께 했다.
격변의 시기에 운 좋게도 중요한 자리에 있었다.
회사의 별, 임원도 금방 될 것 같았다.
하지만, 모든 게 한 순간

이젠
별 볼 일 없이 산다.
별 볼 일 없이 사는 것도
별스럽지 않다.

별

서울 밤, 하늘 위에 밝게 빛나는 것은
밝은 별이 아니라 인공위성이라 하더라

어두운 밤, 뚫고 빛나는 별인가 했더니.
진짜 별을 밤하늘에 묻은 채

가짜 빛을 보는 우리들
크게, 밝게 빛나면 별이라 착각했다.

정말 소중한 것들, 중요한 별들은 어둠에 갇힌 걸 모른 채
우린 가짜 진짜는 상관없이 빛만을 찾았다.

오늘 밤은, 빛이 아닌,
어느 깜깜한 하늘 안에 숨어 있는 별을 봐야겠다.

돈

돈다고 돈
요즘 들어 돌지 않는 건
누가 봐도 돌아버릴 일

돌려야 도는 게 돈
너도 나도 써야지 돈
하지만, 내 차례엔 안 오는 돈
내게만 항상 없는 돈

몇몇 놈들이 다 가진 돈
돈 같지도 않은 돈
요즘 돈

돈

돈은 공평하다.
일을 하면 받고, 노는 사람은 받지 못한다.

돈은 공평하다.
저축하면 모을 수 있고,
흥청망청 쓰는 사람은 모으지 못한다.

태어날 때부터, 한남동에 건물주 아들,
면허 따면 따라 오는 외제차

또 다른 이는, 아침에는 신문배달
저녁에는 상하차, 퇴근 후에는 하고 싶은 공부

돈은 공평하지 않다.
일 하면 받지만, 하지 않고 놀아도 되는 사람도 있다.

돈은 불공평하다.
저축하면 모을 수 있지만,
흥청망청 써도 충분한 사람 있다.

학원비, 학비, 식비, 알바 월급에 교통비
통장 잔고에서 빠져나가는 이유 모르는 돈이 뭔지 고민하기

비싼 양주에, 명품 브랜드 옷, 좋은 시계, 넓은 집, 올라오는 SNS
돈은 누구에게나 공평한가

정리

도와줘,
두 아들의 방
자유분방한 옷들의 춤사위
자잘한 잡동사니들의 향연

힘겨운 아내가
아무리 잔소리를 해도
그때뿐

하지만,
정리하지 않는 것은 젊음의 특권
열역학 제2법칙
에너지가 높으면 무질서하게 마련이지

너희도 나이를 먹으면,
모든 게 안정되어 갈 거다.
다만 그건 죽음으로 가는 길이겠다만

정리

잃게 될까,
잊힐까

혹시나 생각날까
나중에 필요할까

급격한 주변 변화와
그 안에서 바뀌는 내 모습이 두려워,

함부로 건들지 못하고
덩굴처럼 묶인 채

꼬여 가는 걸 알면서도
함부로 정리를 하지 않는다

복권

사람이란사람의人生이하찮은종이조각하나에매달려있다는사실
은백색의假面에가리운불확실한未來가우리를농락하며사그러지면
긴장과초조의향기속으로손가락이떨린다나는별수없이평범한落心하며
조심스럽게구겨져버려진채휘청거리는夢遊를걸어집에온다
울다지쳐잠들고자면서울고꿈속수백수천의나는은백색의광채인가
불확실성未來, 잡으려잡으려발버둥치다떨어져쌓인다.

복권

번개 맞을 확률보다 낮다는 당첨 확률
일확천금, 꽃 길 인생 그리며
사람들은 조그만 종이 한 장 산다.

각자만의 계획, 개개인의 소망
혹시나 모를 그 빈틈에 희망을 걸며
나도 오늘 복권 한 장 샀다.

내 방이 좀 더 커졌으면, 내 삶이 편해졌으면.
엄마의 고민이 없어지고, 아빠 등 짐이 가벼워졌으면
당첨을 기다리는 토요일 8시까지

달콤한 꿈들 꿔보고 싶어, 복권 한 장을 샀다.

도미노

아내가 기분이 안 좋으면
아이들에게 불똥이 튄다.
파도는 곧 내게 들이닥친다.

내가 밀려나면
모두가 쓰러진다.
가정의 평화는 깨진다.

잔소리의
연쇄반응을 차단하는
나는야 우리 집의 완충지대

최후의 5분에는
승리가 달렸고,
최초의 5분에는
우리 집의 평화가 달렸다.

도미노

인생의 도미노
하나하나 쌓여 가는 도미노 벽돌
긴 도미노, 하루아침에 완성 없다
하나하나 돌 세우고
한 걸음, 다시 한 보 앞으로 걷는다

인생은 도미노
이리저리 도미노의 방향,
우리에겐 중요치 않다
꺾일 수 있고, 좌우 휘청거리기 가능하다
지금 내 길이 멀 수 있고, 지금 너의 길이 힘들 수 있다

다만 중요한 것은, 난 어제보다 한 보 더 왔단 것
다만 기억할 것은, 넌 하나 더 많은 벽돌을 세운 것

그리고 내일도,
또 다른 오늘도,

우린 다시 하나 더 벽돌을 세울 것이라는 것,
우리의 인생은 도미노

한가운데

人生 암만 오래 살아도
백년을 못 산다는데
이룬 것도 없이
절반이 하냥 지난다

기억도 희미한 책 속
'니나'의 나이를 먹은 슈타인
생애의 무게중심
내리막길만 남은 삶인데도
차마 갈피 못 잡는 혼란스런 마음

50살의 내가 20살의 나를 생각해 보건대
20살의 나는 50살의 나를 생각이나 했었을까

한가운데

저 멀리 떨어져도 괜찮다
네가 세상의 중심이 아닐지라도 괜찮다
우리가 너의 주변이 되어
널 빛나는 한가운데 별로 만들 테니
그것만으로도 너는 충분히 빛나니

에필로그

아버지와 나는 아주 친밀하지도 않고, 그렇다고 사이가 안 좋아서 큰 문제가 있지도 않은 그저 그런 평범한 부자관계라고 생각한다. 하지만 아버지와 이 프로젝트를 진행하면서 한 편 한 편 시를 쓰며 수많은 의견 충돌과 언쟁 속에서 묘한 연대감 같은 것이 생겨났다.

평소에는 서로 바빠서 이야기할 시간도 없었고 애써 시간을 만들 이유도 없었지만, 시집 작업을 시작한 이후에는 적어도 일주일에 한 번은 함께 앉아 시의 주제에 대해 의논하고, 함께 한 창작물들을 공유하고 읽어 보았다. 3월부터 7월까지 5개월 가까운 시간 속에서 나는 아버지에 대해서 많이 알게 되었다.

사실 내 나이 20살, 지금까지는 내가 부모님께 대해 가지는 관심보다는 내가 받는 관심들에 관심이 더 많았다. 굳이 관심이 생기지도 않았고, 아버지가 어떤 생각을 가지고 있는지 알 필요도 없었다.

아버지의 시들을 읽고 함께 토론하는 과정 속에서, 아버지는 학창시절을 어떻게 보내셨는지, 나에 대해 어떤 생각을 가지셨는지, 내가 보는 사물들을 보며 어떤 생각을 하셨는지 조금은 알게 되었다. 그것만으로도 의미 있는 시간들이었다.

모든 가족은 각기 다양한 관계와 상황들이 있을 것이고, 매일 보고 평생을 함께 붙어사는 것이 꼭 좋은 가족관계라고 생각하지도 않는다. 다만 아들로서, 자식으로서, 아버지는 어떤 삶을 살아오셨는지, 어떤 생각을 가지고 계신지 알 수 있다는 건 꽤 좋은 일인 것 같다. 서로 간에 약간의 관심, 최소한의 노력은 필요하다는 생각을 하게 되었다.

아버지와 함께 꾸준히 시를 써가면서, "시집을 내고 싶다."는 생각을 아버지와 함께 이뤘다. 생각보다 큰 문제없이 순조롭게 마칠 수 있어서 좋고, 스무 살의 나이에 사회로 첫 발을 디디는 지금 이 순간에 내가 하고 싶었던 수많은 일들 중에서 조그만 목표 하나는 이루게 된 것 같아 뿌듯하다.

뭐든지 항상 시작한 이후 얼마 못 가서 흐지부지하기 일쑤였던 내가 시를 끝까지 썼고, 마침내 첫 시집이 완성되는 걸 보고 느꼈다. 무슨 일이든 시작하기는 어려워도 막상 해보면 또 안 되는 일은 없는 것 같다는 사실.

성인으로서 나의 사회생활도 이제 시작이다. 뭐가 됐든 이 악물고 한번 부딪혀 보자. 한번 뿐인 인생, 아직 뭐든 할 수 있는 나는 스무 살이니까….

경험도 부족하고 아직은 어린 제가 시집을 출판할 수 있도록 도와주신 출판사와 시 쓰기를 함께 해주신 아버지께 감사드립니다.

또한 적극 지원해 주신 어머니, 열렬히 응원해준 동생 원준이에게도 고맙다는 말 전합니다.

– 2020년 여름, 일본 유학을 앞두고

조 위 래

『父子有別』의 몇 가지 각별함

이 재 욱
새로운사람들, 펴낸이

아버지와 아들이 함께 시집을 낸다. 일찍이 우리나라 출판의 역사에 '부자시집(父子詩集)'의 사례가 있었는지는 잘 모르겠다. 아버지와 아들이 같은 제목으로 한 편씩 각각 40편의 시를 써서 한 권의 시집으로 묶어낸다. 이런 형식의 출간이 우선 각별하다.

2020년 2월, 아들은 일본 대학에 진학하여 유학을 준비하고 있었다. 그런데 코로나19로 출국이 어려워지는 바람에 4월 입학이 무산되고 9월 입학으로 연기해야 했다. 뜻밖에 주어진 반년의 공백이 당혹스러울 때 아버지가 6개월의 시간을 허송하지 말라는 충고를 했고, 마침 인스타그램 등 SNS에 시를 올리고 있던 아들은 시집이라도 한 권 냈으면 한다고 응수했다.

책을 내는 일이라면 아버지도 늘 마음속에 꼽고 있던 버킷리스트. 아들이 갑자기 시집을 낸다니까 잔뜩 관심을 보인 아버지가 시집을 함께 내면 어떻겠느냐고 의견을 물었던 것이 『父子有別』의 출발점이었다. 시집 출간에 의기투합한 아버지와 아들은 곧장 실행에 나섰다.

두 사람이 똑같은 제목으로 한 주일에 세 편씩 시를 써보자고 하여 각각 40편을 쓸 때까지 매주 빠짐없이 세 편씩 쓴 시를 가지고 만났다. 아버지도 아들도 틈틈이 시를 쓴다고는 하지만, 시간 나면 써봐야지 하는 마음으로는 각각 40편이란 시는 어림도 없는 결과였을 터이다. 그런데 둘이 똑

같은 제목으로 시를 써서 함께 시집을 내보자는 재미있는 목표가 설정되는 바람에 3월부터 6월까지 두근거리는 '프로젝트'가 되었다.

대개 일요일 저녁마다 만나서 지난주에 쓴 시를 함께 읽고 이번 주에 쓸 시의 제목을 정하는 일은 단지 아버지와 아들의 회동일 뿐만 아니라 어머니와 둘째 아들까지 합세하는 가족회의가 되는 것은 조금도 이상하지 않았다. 『父子有別』을 위한 공식적인 가족회의는 가족이라는 공통분모 위에서 공통의 기억과 공통의 경험과 일상생활이 함께 버무려지는 소중한 기회가 되었음은 두말할 나위도 없다.

오륜(五倫)의 실천덕목으로는 부자유친(父子有親)인데, 왜 부자유별(父子有別)이 되었을까? 아버지와 아들이 만나서 친(親)해지다 보니 서로 다른 시선을 확인할 수 있게 되고, 서로 다름을 서로가 인식함으로써 유친(有親)을 넘어 유별(有別)의 단계로 발전했다고 한다. <방황>이라는 시에서도 이러한 '서로 다른 시선'을 확인할 수 있다. 위의 시가 아버지의 작품이고, 아래의 시가 아들의 작품이다.

방황

중2 아들,
7호선 타고 한강을 넘나들다
새벽녘에야 기어 들어왔을 때

"살아야 할 이유를 모르겠어요."
"이 놈의 새끼, 이 미친 새끼."

갑작스런 아내의 브라운 운동에
이리저리 부딪히고 끓어오르면
뜬밤 새운 부은 눈두덩
시계는 멈칫멈칫 가고
나는 짐짓 돌아누웠다.

불혹이란
유혹에 빠지지 않는다는 것인지
유혹에 빠지지 말라는 것인지
눈밭의 어지러운 발자국도 그 아비에 그 아들인데

나도 아직 모르겠다.
어디로 가야 할지
어디에 있어야 할지

방황

학교 나와 잠실대교 쪽으로
도화지 같은 하늘대신 바닥을 봤다.

자신 몸보다 몇 배는 높은 담을
흰 색 고양이는 훌쩍 넘고

버스를 타고 지나가는 잠실대교 옆
양쪽으론 넓은 한강 위로 새들이 선을 새겼다.

잠실 역 들어와 2호선 타는 길
책가방을 맨 사람들, 바쁘게 전화를 받으며 이동하는 사람들.

좁은 공간 안, 숨 막히는 분위기
피곤해서였을까, 교대를 지나 어느새 사당이었다.

"친해지니 다른 게 보이더라."는 말은 시(詩)라는 서정적인 매체를 통해 속마음을 서로에게 내보임으로써 가능했을 것으로 보인다. 이처럼 속마음을 서로에게 내보일 수 있었던 것은 3~4개월에 걸쳐 빠짐없이 이루어진 아버지와 아들의 공식적인 회동 덕분이었음은 당연하다. 이런 점도 『父子有別』의 각별함으로 손꼽을 수 있을 것이다.

아버지와 아들이 몇 달에 걸쳐 같은 제목으로 매주 세 편씩 시를 쓰고 상대방과 작품을 바꿔 읽다 보니 서로에 대한 생각도 달라졌다고 한다. 선입견 같은 게 없어졌다고나 할까.

아들이 보기에 아버지는 고등학교, 대학교 시절 문학청년으로 활동했다던 이력대로 시작(詩作)의 방법 등으로 보건대 시를 참 잘 쓴다는 인상을 받았는데, 아무래도 요즘 시하고는 달라 보이는 옛날 스타일이라는 느낌도 들었다고 한다.

아버지가 보기에 아들은 반항아처럼 까칠한 데다 짜증을 잘 낸다고 생각해 왔는데, 시를 읽어보니 뜻밖에도 여린 마음이 드러나고 내용도 밝고 아름답다는 느낌이 들어 놀랍고 기분이 좋더란다. 그러면서 상대적으로 자신의 작품은 회한(悔恨)이 묻어나고 우울한 느낌을 지울 수 없었다고 한다.

두 사람의 이야기를 들어보니 아버지는 과거를 회상하는 내용이 많고 아들은 미래를 꿈꾸거나 설계하는 내용이 많아서 그런 것 같다는 생각이 들기는 하는데, 어쩌면 이것은 한 세대를 격(隔)하는 세대차 또는 시대감각의 차이라고 할 수도 있겠다. 이런 점도 『父子有別』에서 맛볼 수 있는 각별함의 하나라고 할 수 있겠다. <야구>라는 시를 살펴보자. 역시 위는 아버지 작품, 아래는 아들 작품이다.

야구

롯데를 사랑한다고
롯데를 사랑한다
손아섭을 좋아한다고
손아섭을 좋아한다

아이는 아빠의 선택에
강요당한다
영문도 모른 채 공을 던졌다.

공 던질 때만 허락되는
왼손잡이
오른손을 강요했던
왼손잡이 아빠

아빠의 왼손과
아빠의 머리와

아빠의 기호와
아빠의 생활을
고스란히 물려받는 아들
고맙지만은 않은
삶의 대물림

야구

아파트 앞에서 아빠랑 함께 했던 야구
내가 좋아해서 같이 가줬던 야구장
왼손잡이였던 난 강요받지 않았습니다.

아빠와 같은 왼손잡이가 좋았고,
아빠가 좋아하니 나도 응원했고,
아빠가 행복하니 야구가 좋아서,
저도 행복했습니다.

시집은 3개의 장으로 나눠져 있다. 억지춘향으로 나눴다기보다 시를 읽어나가면서 숨 고르기를 할 수 있도록 배려했다는 느낌을 받는다. 첫 번째 장이 책의 제목이 된 부자유별(父子有別)인데, '아버지와 아들 사이에는 다름이 있다.'는 뜻을 담고 있다. 두 번째 장은 동병상유(同病相遊)인데, '같은 병을 가진 사람들끼리 서로 같이 노닌다.'는 뜻이란다. 세 번째 장은 고고진각래(苦盡覺來), '고생 끝에는 깨달음이 온다.'는 뜻이다.

3개의 장으로 나눠서 편집하기로 한 데는 아버지의 주장이나 고집이 더 많이 작용했을 것 같다고 했더니 그게 아니란다. 아버지가 장을 나누면 좋겠다는 의견을 내자 격론이 벌어지긴 했지만, 실제로 장의 제목은 아들이 정했다고 한다. 애당초 설왕설래 의견이 갈라지기도 했지만, 아버지의 의견이 좀 더 합리적인 듯해서 아들이 받아들였고, 아버지는 장 제목에 대한 결정을 아들에게 양보했다는 것이다.

앞에서도 가족회의를 언급했는데, 시집 출간을 위한 공동 작업이 가족의 소통에 도움이 된 것은 당연하겠지만, 단순한 소통보다는 시를 쓰면서 가족을 한 번 더 생각하게 되고, 가족의 경험과 추억이 담긴 가족사를 떠올리는 계기가 되었다고 입을 모은다.

특히 이번 출간 작업에서는 어머니의 후원과 감독이 백미다. 아버지가 버킷리스트 운운하며 책을 내겠다고 할 때는 콧방귀도 뀌지 않았는데, 아버지와 아들이 함께 책을 내겠다고 하자 무척이나 좋아하면서 적극적인 후원을 자처했을 뿐만 아니라 일요일의 회동은 말할 것도 없고 시제의 결정과 작품 활동, 일정까지 감독하고 강요(?)할 정도였다고 하니 시집이 나오면 그 공로가 여간이 아닌 셈이다.

어쨌거나 '패밀리 프로젝트'였던 것만은 확실해 보인다. 세대차가 느껴지는 작품 한 편을 살펴보자. 위의 시는 아버지 작품, 아래의 시는 아들 작품이다.

핸드폰

걷던 사람 걷지 못하게
먹던 사람 먹지 못하게
말하던 사람 말하지 못하게
생각하던 사람 생각하지 못하게

네모난 화면에 갇혀버린 인생

스마트폰

눈 뜨는 아침, 터치 두 번으로 확인
새 신발은 벗고, 왼손에 우산

식사시간부터 카페, 술자리까지
넓어지는 선택 폭과, 쉽게 얻는 정보들

늦은 밤 방안에서 펴는 세계지도
해외여행 브이로그, 실시간 세계뉴스

지하철, 버스 안 네모 칸만 쳐다보는 우리지만
중독도 걱정해야 하고, 책도 봐야 하는 걸 아는 우리지만

아침부터 밤까지, 내 생활 안 스마트폰
어찌 보면 인생의 일부가 될 스마트폰

아버지와 아들이 같은 제목으로 몇 달 동안 함께 시를 써서 애초에 정한 목표를 달성했다면 어떤 점이 달라질까? 아버지 조철제 시인과 아들 조위래 시인은 실제로 체험한 일이기 때문에 허구의 수사가 아니라는 점을 먼저 강조하고 싶다. 책을 편집하는 입장에서는 이런 방식의 작업이 좀 더 널리 실행이 된다면 세상의 기본단위인 가정이 훨씬 재미있고 밝아질 것이라는 희망도 가져본다. 꼭 시라야 하는 것은 아니고 가족의 수필집 같은 것도 괜찮을 성싶다.

아버지의 소감은 아들과 함께 뭔가를 해냈다는 느낌이 너무 기분 좋다고 한다. 언젠가 가족과 함께 덕유산 등반을 한 적이 있었는데, 그때 정상을 정복했던 기분처럼 흐뭇하다는 것이다. 특히 시를 써나가면서 아들이 성장한 느낌을 실감할 수 있었고, 서로 격려가 되면서 나름대로 작품의 완성도를 높일 수 있었다고 한다.

아들의 소감도 첫 번째가 아버지와 함께 뭔가를 해냈다는 느낌이 너무 기분 좋다는 것이다. 아울러 그동안 고등학교를 졸업할 때까지 수동적으로 살아왔던 것 같은데, 실제로 하나의 목표를 세우고 그것을 성취할 수 있었다는 사실에 자신감도 생기고 너무나 뿌듯하다고 한다.

혼자 시집을 내려고 했다면 목표를 달성하지 못하고 중간에 흐지부지 중단했을지도 모르는데, 아버지와 함께 하니까 계획대로 마무리할 수 있어서 좋았다는 것이다.

<대학>이라는 작품은 코로나19로 입학이 좀 지연이 되긴 했지만 아들의 일본 유학을 스스로 축하하기에 충분할 듯하다. 역시 위는 아버지의 작품이고, 아래는 아들의 작품이다.

대학

시간을 낭비할 수 있는 것은
청춘의 특권
때는 바야흐로 봄이었고,
어떤 사치든 부려봄직한 시간이다.
작은 고민에도
인생을 걸었던 우리는
사소해서 아름다웠다.
보잘 것 없어 더 소중했다.

최루탄 냄새도 익숙해질 무렵이면
뜻 모를 명분도 중요했고,
어설픈 사랑도 가슴 아팠다.

아이의 입학에
더불어 부푸는 마음
난생처음
불타는 학구열,
그리운 캠퍼스

대학

어떻게 보면, 20년 동안의 노력
학창시절, 어린 나이, 돈, 시간

그 시간 노력이 힘들고 지쳤던 것 같은데,
지나고 보면, 왜 더 못했는지, 왜 금방 지쳤는지,

시간이 지나서 그런 건가,
나이를 먹어서 머리가 큰 걸까,

시험이며 성적이며 여태 쫓기며, 살았는데,
이젠 내가 원하는 것들은 쫓을 차례인데,

평생을 줏대 없이 쫓겨만 와서 그런가,
이젠 쫓기지 않으면 앞으로 뛰지를 못한다.

시집이 나온 다음에는 부자 관계가 어떻게 될 것 같으냐고 물었더니 아들은 대뜸 책이 나오고 나면 멀어질 것이라고 대답했다. 무슨 말인가 했더니 9월에 입학을 하게 되면 일본으로 건너가야 하니까 멀어지지 않겠느냐는 뜻인 듯하다.

그런 점에서는 아버지가 시집 출간에 대해 좀 더 의미심장한 가치를 부여하는 것 같다. 지금까지는 한 집에 살아도 아버지와 아들이 각각 자기 생각에 따라 자기 방식대로 살았는데, 함께 시집을 냄으로써 둘이 하나로 묶였다는 느낌을 받는다는 것이다. 말하자면 책(시집)이라는, 사회가 인정하는 중요한 연결고리가 만들어진 셈이라는 뜻이다.

그러면서 아버지는 조금 더 욕심을 낸다. 이번처럼 한 주일에 세 편씩 시를 쓰는 강행군은 어렵겠지만 『父子有別 II』도 만들고 싶다고 한다. 아버지와 아들이 같은 제목으로 시를 쓰니 유별(有別)이 확실해졌는데, 이러한

유별(有別)에 대한 인식과 느낌은 앞으로도 유용한 작업을 할 수 있는 경험이었다고 힘주어 말한다. 버킷리스트 중의 하나를 이뤘다는 기쁨도 있지만, 그보다 아들과 함께 목표를 이뤘다는 기쁨이 더 크다며, 책을 써보니 확실히 인생이 정리되는 느낌이라는 소회도 밝힌다.

이제 스물인 아들은 아버지와는 조금 결이 다른 소감을 이야기한다. 스물이면 뭐든지 해볼 수 있는 나이인데, 뭔가 목표를 달성하고 스스로 마무리하여 결론을 낼 수 있었다는 사실이 무엇보다 용기와 성취감을 준다고 밝힌다. 코로나19 때문에 장애물을 만난 느낌이었는데, 오히려 이것을 기회로 뭔가 이뤄냈기 때문에 뿌듯함을 느낀다는 것이다.

父子有別

부자유별, 아버지와 아들의 서로 다른 시선

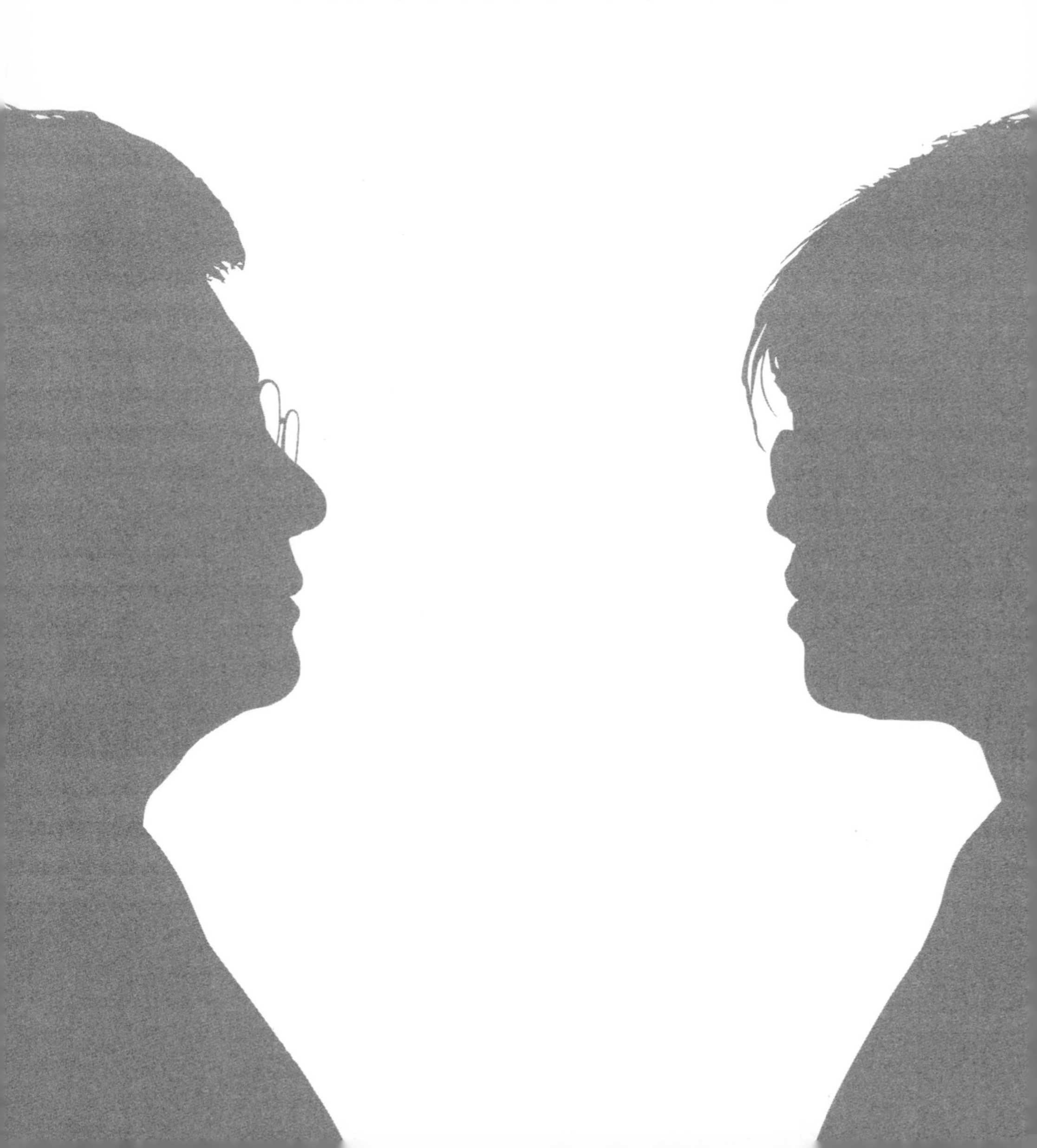